Carnets de sagesse
Collection dirigée par Marc de Smedt et Michel Piquemal

Maquette : Dominique Guillaumin
Illustration de couverture et vignettes : Danielle Siegelbaum

© 1993, Albin Michel Jeunesse
22, rue Huyghens, 75014 Paris
Loi 49956 du 16 juillet 1949
sur les publications destinées à la jeunesse.
Dépôt légal : septembre 1993
Réimpression : janvier 1994
N° d'édition : 10644/5
ISBN 2-226-06254-8
Imprimé en France par Pollina s.a., 85400 Luçon - n° 64480

PAROLES
INDIENNES

Textes indiens
d'Amérique du Nord
recueillis et traduits
par Michel Piquemal

Photos d'Edward S. Curtis

ALBIN MICHEL
CARNETS DE SAGESSE

Notre monde occidental a pour règle de juger le génie des civilisations à l'ampleur des traces qu'elles laissent derrière elles: monuments, églises, fortifications militaires, etc. À cette aune-là, la civilisation indienne ne pèse pas bien lourd et sa disparition peut paraître un détail de l'Histoire.

Pourtant, ces peuples ont parlé avant d'être définitivement vaincus. Et nous restons confondus devant ces bribes de voix et ce qu'elles laissent présager de leur spiritualité.

Ces hommes (qui ne bâtissaient ni pyramides ni cathédrales) avaient trouvé leur juste place dans le cosmos, au sein d'une Nature qu'ils respectaient et adoraient. Ils ne cherchaient pas à accumuler richesses et bien-être, mais à se forger une âme forte en harmonie avec le monde. Savoir s'intégrer respectueusement à l'univers des forêts ou des plaines, savoir reconnaître l'étincelle du sacré dans chaque parcelle de vie… voilà l'essentiel de leur philosophie.

Quand on sait la cupidité qui animait les conquérants venus d'Europe, on comprend que le dialogue était impossible entre deux manières aussi opposées d'envisager l'existence. Cependant, face à l'avancée impitoyable des colons, les Indiens d'Amérique ont sans cesse recherché un consensus qui leur permettrait de continuer à vivre en paix selon leur antique manière… Mais pour l'homme blanc, il n'y avait pas de consensus possible en dehors de la déportation et de l'extermination. Et c'est sans doute là l'un des aspects les plus poignants des textes que nous publions ci-après : des hommes cherchant à s'expliquer, à se faire comprendre face à des sourds qui ne veulent pas entendre… et qui préjugent orgueilleusement de leur qualité de « civilisés » pour s'arroger tous les droits.

On sait à quel cortège de crimes (massacres, spoliations, traités signés et aussitôt bafoués…) la confrontation a donné lieu. Mais il n'est plus temps de pleurer sur l'anéantissement physique du monde indien, il n'est plus temps de rager sur un génocide aussi abominable que stupide ; l'urgence est aujourd'hui de s'interroger sur ce que leur spiritualité (que l'on retrouve vivace au *travers de ces écrits) peut apporter à l'avenir de l'homme.*

Face au désarroi dans lequel se trouve plongé notre monde matérialiste, la sagesse indienne apparaît comme une source toujours vive. Ces « paroles » ne pouvaient donc qu'inaugurer une collection cherchant à mettre à la portée de tous les textes clés de la spiritualité éternelle.

Michel Piquemal

Quand tu te lèves le matin,
remercie pour la lumière du jour,
pour ta vie et ta force.
Remercie pour la nourriture
et le bonheur de vivre.
Si tu ne vois pas de raison de remercier,
la faute repose en toi-même.

Tecumseh,
chef shawnee
(1768-1813)

La beauté devant moi fasse que je marche

La beauté derrière moi fasse que je marche

La beauté au-dessus de moi fasse que je marche

La beauté au-dessous de moi fasse que je marche

La beauté tout autour de moi fasse que je marche

Strophe du Kledze Hatal,
chant shaman navajo

VOYEZ, MES FRÈRES, le printemps est venu ; la terre a reçu l'étreinte du soleil, et nous verrons bientôt les fruits de cet amour !

Chaque graine s'éveille et de même chaque animal prend vie. C'est à ce mystérieux pouvoir que nous devons nous aussi notre existence ; c'est pourquoi nous concédons à nos voisins, même à nos voisins animaux, le même droit qu'à nous d'habiter cette terre.

Pourtant, écoutez-moi, vous tous, nous avons maintenant affaire à une autre race – petite et faible quand nos pères l'ont rencontrée pour la première fois, mais aujourd'hui grande et arrogante. Assez étrangement, ils ont dans l'idée de cultiver le sol et l'amour de posséder est chez eux une maladie. Ces gens-là ont établi beaucoup de règles que les riches peuvent briser mais non les pauvres. Ils prélèvent des taxes sur les pauvres et les faibles pour entretenir les riches qui gouvernent. Ils revendiquent notre mère à tous, la terre, pour leur propre usage et se barricadent contre leurs voisins ; ils la défigurent avec leurs constructions et leurs ordures. Cette nation est pareille à un torrent de neige fondue qui sort de son lit et détruit tout sur son passage.

NOUS NE POUVONS VIVRE CÔTE À CÔTE.

Sitting Bull,
chef sioux hunkpapa
(1875)

Nous étions un peuple sans lois, mais nous étions en très bons termes avec le Grand Esprit, créateur et maître de toutes choses. Vous, Blancs, présumiez que nous étions des sauvages. Vous ne compreniez pas nos prières. Vous n'avez pas essayé de les comprendre. Quand nous chantions nos louanges au soleil, à la lune ou au vent, vous disiez que nous adorions des idoles. Sans nous comprendre, vous nous avez condamnés comme des âmes perdues, simplement parce que notre culte était différent du vôtre.

Nous voyions la main du Grand Esprit dans presque tout : soleil, lune, arbres, vent et montagnes. Parfois, nous l'approchions à travers toutes ces choses. Etait-ce si mal ? Je pense que nous croyons sincèrement en l'Etre suprême ; d'une foi plus forte que celle de bien des Blancs qui nous ont traités de païens... Les Indiens qui vivent près de la nature et du maître de la nature ne vivent pas dans l'obscurité.

Saviez-vous que les arbres parlent ? Ils le font, cependant. Ils se parlent entre eux et vous parleront si vous écoutez. L'ennui, c'est que les Blancs n'écoutent pas. Ils n'ont jamais appris à écouter les Indiens, aussi je doute qu'ils écoutent les autres voix de la nature. Pourtant, les arbres m'ont beaucoup appris : tantôt sur le temps, tantôt sur les animaux, tantôt sur le Grand Esprit.

Tatanga Mani ou Walking Buffalo,
indien stoney (1871-1967)

Qu'est-ce que la vie ?
C'est l'éclat d'une luciole dans la nuit.
C'est le souffle d'un bison en hiver.
C'est la petite ombre qui court dans l'herbe
et se perd au coucher du soleil.

Crowfoot, chef blackfeet (1821-1890)

Les vastes plaines ouvertes, les belles collines qui ondulent et les ruisseaux qui serpentent n'étaient pas sauvages à nos yeux. C'est seulement pour l'homme blanc que la nature était sauvage, seulement pour lui que la terre était « infestée » d'animaux « sauvages » et de peuplades « barbares ».

Pour nous, la terre était douce, généreuse, et nous vivions comblés des bienfaits du Grand Mystère. Ce n'est que lorsque l'homme poilu de l'Est est arrivé et, dans sa folie brutale, a accumulé les injustices sur nous et les familles que nous aimions, qu'elle nous est devenue « sauvage ».

Lorsque même les animaux de la forêt commencèrent à fuir à son approche, alors commença pour nous « l'Ouest Sauvage ».

Luther Standing Bear,
chef sioux oglala (né en 1868)

MES JEUNES GENS NE TRAVAILLERONT JAMAIS.
Les hommes qui travaillent ne peuvent rêver ; et la
sagesse nous vient par les rêves.

VOUS ME DEMANDEZ de labourer la terre. Dois-
je prendre un couteau et déchirer le sein de ma
mère ? Alors, quand je mourrai, elle ne voudra pas
me prendre dans son sein pour que j'y repose.

VOUS ME DEMANDEZ de creuser pour trouver
de la pierre. Dois-je creuser sous sa peau pour
m'emparer de ses os ? Alors, quand je mourrai, je
ne pourrai plus entrer dans son corps pour renaître.

VOUS ME DEMANDEZ de couper l'herbe, d'en
faire du foin, de le vendre pour être aussi riche que
les hommes blancs. Mais comment oserais-je couper les cheveux de ma mère ?

Smohalla,
indien nez-percé,
fondateur de la religion des rêveurs

Les Blancs se sont toujours moqués de la terre, du daim ou de l'ours. Quand nous, Indiens, tuons du gibier, nous le mangeons sans laisser de restes. Quand nous déterrons des racines, nous faisons de petit trous. Quand nous construisons nos maisons, nous faisons de petits trous. Quand nous brûlons l'herbe à cause des sauterelles, nous ne ruinons pas tout.

Pour faire tomber glands et pignons, nous secouons les branches. Nous ne coupons pas les arbres. Nous n'utilisons que du bois mort. Mais les Blancs retournent le sol, abattent les arbres, massacrent tout. L'arbre dit : « Arrête, j'ai mal, ne me blesse pas. » Mais ils l'abattent et le découpent en morceaux. L'esprit de la terre les hait. Ils arrachent les arbres, la faisant trembler au plus profond.

Comment l'esprit de la terre pourrait-il aimer l'homme blanc ? Partout où il la touche, elle est meurtrie.

Une vieille femme wintu

Ô Grand Esprit, dont j'entends la voix dans les vents et dont le souffle donne vie à toutes choses, écoute-moi.

Je viens vers toi comme l'un de tes nombreux enfants ; je suis faible… je suis petit… j'ai besoin de ta sagesse et de ta force.

Laisse-moi marcher dans la beauté, et fais que mes yeux aperçoivent toujours les rouges et pourpres couchers de soleil.

Fais que mes mains respectent les choses que tu as créées, et rends mes oreilles fines pour qu'elles puissent entendre ta voix.

Fais-moi sage, de sorte que je puisse comprendre ce que tu as enseigné à mon peuple et les leçons que tu as cachées dans chaque feuille et chaque rocher.

Je te demande force et sagesse, non pour être supérieur à mes frères, mais afin d'être capable de combattre mon plus grand ennemi, moi-même.

Fais que je sois toujours prêt à me présenter devant toi avec des mains propres et un regard droit.

Ainsi, lorsque ma vie s'éteindra comme s'éteint un coucher de soleil, mon esprit pourra venir à toi sans honte.

Prière ojibwa

Nous rendons grâces à notre mère, la terre, qui nous soutient. Nous rendons grâces aux rivières et aux ruisseaux qui nous donnent l'eau. Nous rendons grâces à toutes les plantes qui nous donnent les remèdes contre nos maladies. Nous rendons grâces au maïs et à ses sœurs les fèves et les courges, qui nous donnent la vie. Nous rendons grâces aux haies et aux arbres qui nous donnent leurs fruits. Nous rendons grâces au vent qui remue l'air et chasse les maladies. Nous rendons grâces à la lune et aux étoiles qui nous ont donné leur clarté après le départ du soleil. Nous rendons grâces à notre grand-père Hé-No, pour avoir protégé ses petits enfants des sorcières et des reptiles, et nous avoir donné sa pluie. Nous rendons grâces au soleil qui a regardé la terre d'un œil bienfaisant. Enfin, nous rendons grâces au Grand Esprit en qui s'incarne toute bonté et qui mène toutes choses pour le bien de ses enfants.

Prière iroquoise

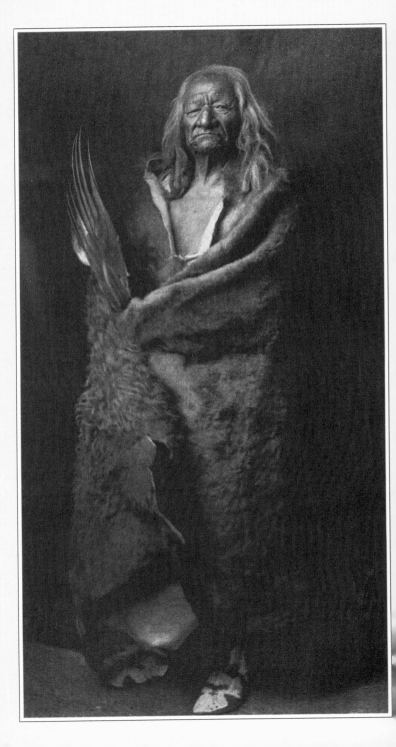

Au début des temps
il n'y avait pas de différence
entre les hommes et les animaux.
Toutes les créatures vivaient sur terre.
Un homme pouvait se transformer en animal
s'il le désirait
et un animal pouvait devenir un être humain.
Il n'y avait pas de différence.
Les créatures étaient parfois des animaux
et parfois des hommes.
Tout le monde parlait une même langue.
En ce temps-là, les mots étaient magie
et l'esprit possédait des pouvoirs mystérieux.
Un mot prononcé au hasard
pouvait avoir d'étranges conséquences.
Il devenait brusquement vivant
et les désirs se réalisaient.
Il suffisait de les exprimer.
On ne peut donner d'explication.
C'était comme ça.

Légende eskimo

La Mère Nature est toute-puissante, ayant pour elle l'éternité. Que sont les inventions des hommes, les cités hautaines qu'ils élèvent aux confins du désert, les armes terribles qu'ils emploient pour assurer et défendre leurs conquêtes ?

Rien qu'un peu de poussière constituée que les grandes forces naturelles tendent à restituer dans sa forme primitive. Désertez pendant quelques années la citadelle, abandonnez quelques mois le canon ou la mitrailleuse dans la Prairie, et bientôt l'herbe et la ronce auront envahi la pierre, la rouille rongé l'acier dur.

Bien des fois, jadis, de vastes solitudes ont été peuplées par des villes puissantes. Il n'en reste plus aujourd'hui que des ruines et les ruines elles-mêmes finissent par se confondre avec la terre éternellement vierge.

Qu'importent les hommes qui passent ? L'Esprit n'a qu'à souffler sur eux et ils ne seront plus ! Alors les fils de la Terre reprendront possession de la Terre. Et les temps passés redeviendront nouveaux !

Les inspirés de la Ghost Dance

Quel traité le Blanc a-t-il respecté que l'homme rouge ait rompu ? Aucun.

Quel traité l'homme blanc a-t-il jamais passé avec nous et respecté ? Aucun.

Quand j'étais enfant, les Sioux étaient maîtres du monde ; le soleil se levait et se couchait sur leur terre ; ils menaient dix mille hommes au combat.

Où sont aujourd'hui les guerriers ?

Qui les a massacrés ?

Où sont nos terres ?

Qui les possède ?

Quel homme blanc peut dire que je lui ai jamais volé sa terre ou le moindre sou ? Pourtant ils disent que je suis un voleur.

Quelle femme blanche, même isolée, ai-je jamais capturée ou insultée ? Pourtant ils disent que je suis un mauvais Indien.

Quel homme blanc m'a jamais vu saoul ?

Qui est jamais venu à moi affamé et reparti le ventre vide ?

Qui m'a jamais vu battre mes femmes ou maltraiter mes enfants ?

Quelle loi ai-je violée ?

Ai-je tort d'aimer ma propre loi ?

Est-ce mal pour moi parce que j'ai la peau rouge ?

Parce que je suis un Sioux ?

Parce que je suis né là où mon père a vécu ?

Parce que je suis prêt à mourir pour mon peuple et mon pays ?

Sitting Bull,
chef sioux hunkpapa (1831-1890)

Nos mœurs sont différentes des vôtres. La rue de vos villes fait mal aux yeux de l'homme rouge. Mais peut-être est-ce parce que l'homme rouge est un sauvage et ne comprend pas.

Il n'y a pas d'endroit paisible dans les villes de l'homme blanc. Pas d'endroit pour entendre les feuilles se dérouler au printemps ou le froissement d'aile d'un insecte. Mais peut-être est-ce parce que je suis un sauvage et ne comprends pas.

Le vacarme semble seulement insulter les oreilles. Quel intérêt y a-t-il à vivre si l'homme ne peut entendre le cri solitaire de l'engoulevent ou les palabres des grenouilles autour d'un étang la nuit ? Je suis un homme rouge et je ne comprends pas.

L'Indien préfère le son doux du vent s'élançant comme une flèche à la surface d'un étang, et l'odeur du vent lui-même, lavé par la pluie de midi, ou parfumé par le pin pignon.

L'air est précieux à l'homme rouge car toutes choses partagent le même souffle : la bête, l'arbre, l'homme, tous partagent le même souffle.

Attribué au chef Seattle
(1786-1866)

Quand le dernier homme rouge aura péri, et que le souvenir de ma tribu sera devenu un mythe parmi les hommes blancs, ces rivages s'animeront des morts invisibles de ma tribu ; et quand les enfants de vos enfants se croiront seuls dans les champs, les boutiques ou dans le silence des bois sans chemin, ils ne seront pas seuls. [...] La nuit, quand les rues de vos villes seront silencieuses et que vous les croirez désertes, elles seront remplies des multitudes de revenants qu'elles contenaient jadis et qui aiment encore ce beau pays. L'homme blanc ne sera jamais seul.

Qu'il soit juste et traite mon peuple avec bonté, car les morts ne sont pas sans pouvoir. Morts, ai-je dit ? Il n'y a pas de mort. Seulement un changement de mondes.

Chef Seattle, indien dwamish
(déclaration de Port Elliott, 1855)

Passent encore quelques soleils, et on ne nous verra plus ici. Notre poussière et nos ossements se mêleront à ces prairies. Je vois, comme dans une vision, mourir la lueur de nos feux du Conseil, leurs cendres devenues froides et blanches. Je ne vois plus s'élever les spirales de fumée au-dessus de nos tentes. Je n'entends plus le chant des femmes préparant le repas. Les antilopes ont fui ; les terres des bisons sont vides. On n'entend plus que la plainte des coyotes. La « médecine » de l'homme blanc est plus forte que la nôtre ; son cheval de fer s'élance sur les pistes du bison. Il nous parle à travers son « esprit qui murmure » [le téléphone]. Nous sommes comme des oiseaux à l'aile brisée. Mon cœur est froid au-dedans de moi. Mes yeux se troublent – je suis vieux...

Plenty Coups,
chef crow
(message d'adieu de 1909)

Mon père m'a fait appeler. J'ai vu qu'il allait mourir. J'ai pris sa main dans la mienne. Il m'a dit :

« Mon fils, mon corps retourne vers ma mère la terre, et mon esprit va bientôt voir le Chef Grand Esprit. Quand je serai parti, pense à ton pays. Tu es le chef de ce peuple. Ils attendent de toi que tu les guides. Rappelle-toi toujours que ton père n'a jamais vendu son pays. Tu dois te boucher les oreilles chaque fois qu'on te demandera de signer un traité pour vendre ton pays natal. Encore quelques années et les hommes blancs t'encercleront. Ils ont les yeux sur cette terre. N'oublie jamais, mon fils, mes paroles de mourant. Cette terre renferme le corps de ton père. Ne vends jamais les os de ton père et de ta mère. »

J'ai pressé la main de mon père et je lui ai dit que je protégerais sa tombe de ma propre vie. Mon père a souri et s'en est allé vers la terre des Esprits.

Je l'ai enterré dans cette belle vallée où l'eau serpente. J'aime cette terre plus que tout le reste au monde. Un homme qui n'aimerait pas la tombe de son père serait pire qu'un animal sauvage.

Chef Joseph, indien nez-percé
(1840-1904)

Tout ce que fait un indien,
il le fait dans un cercle.

Il en est ainsi parce que le pouvoir de l'univers opère toujours en cercles et que toute chose tend à être ronde. Dans les temps anciens, lorsque nous étions un peuple heureux et fort, notre pouvoir nous venait du cercle sacré de la nation, et tant qu'il ne fut pas brisé, notre peuple a prospéré. [...]

Tout ce que fait le Pouvoir de l'Univers se fait dans un cercle. Le ciel est rond et j'ai entendu dire que la Terre est ronde comme une balle et que toutes les étoiles le sont aussi. Le vent, dans sa plus grande puissance, tourbillonne. Les oiseaux font leur nid en rond, car leur religion est la même que la nôtre. Le soleil s'élève et redescend dans un cercle. La lune fait de même, et ils sont ronds l'un et l'autre. Même les saisons, dans leur changement, forment un grand cercle et reviennent toujours où elles étaient. La vie d'un homme est un cercle d'enfance à enfance, et ainsi en est-il de toute chose où le Pouvoir se meut. Aussi nos tentes étaient rondes comme les nids des oiseaux et toujours disposées en cercle, le cercle de la nation, nid fait de nombreux nids où nous couvions nos enfants selon la volonté du Grand Esprit.

Elan Noir, indien sioux oglala
(né en 1863)

Enfant, je savais donner ; j'ai oublié cette grâce
depuis que je suis devenu civilisé.
J'avais un mode de vie naturel
alors qu'aujourd'hui, il est artificiel.
Tout joli caillou avait une valeur à mes yeux ;
chaque arbre qui poussait était un objet
de respect.
Maintenant, je m'incline avec l'homme blanc
devant un paysage peint dont on estime
la valeur en dollars.

Ohiyesa, écrivain indien contemporain

Le silence est l'équilibre absolu du corps, de l'esprit et de l'âme. L'homme qui préserve l'unité de son être reste à jamais calme et inébranlable devant les tempêtes de l'existence – pas une feuille qui bouge sur l'arbre, pas une ride à la surface étincelante du lac – voilà, aux yeux du sage illettré, l'attitude idéale et la meilleure conduite de vie.

Si vous lui demandez : « Qu'est-ce que le silence ? », il répondra : « C'est le Grand Mystère ! » « Le silence sacré est Sa voix ! »

Si vous demandez : « Quels sont les fruits du silence ? », il dira : « C'est la maîtrise de soi, le courage vrai ou l'endurance, la patience, la dignité et le respect. Le silence est la pierre d'angle du caractère. »

Ohiyesa, écrivain indien contemporain

Photo extraite de *L'Amérique indienne*, Albin Michel, 1992

EDWARD S. CURTIS
(1868-1952)

Les photos mises en regard des textes proviennent de la très belle collection du musée du Nouveau Monde de La Rochelle. Elles sont d'Edward S. Curtis qui, de 1896 à 1930, parcourut l'Amérique du Nord, de l'Ouest du Mississippi à l'Alaska, afin d'immortaliser de toute urgence ce qu'il considérait déjà comme *a vanishing race* (une race en voie d'extinction). Son travail considérable, unique dans l'histoire de la photographie (près de 40 000 clichés !), trouva son aboutissement dans une œuvre monumentale : *The North American Indian*, vingt volumes de textes accompagnés de vingt portfolios.

Nous ne pouvions que rendre hommage à celui qui dévoua toute sa vie à une entreprise titanesque, dans le seul but de garder le témoignage d'une civilisation mourante, « pour le bénéfice des générations futures » (selon ses propres termes).

Source des textes

Afin de constituer cette anthologie, nous avons recherché traces de la parole indienne authentique partout où elle s'est exprimée par le passé : discours lors des traités, palabres des Conseils, récits consignés par des voyageurs, poèmes, chants shamans, autobiographies... Nous en avons isolé de courts extraits qui nous paraissaient exemplaires. Mais le lecteur trouvera ci-après la référence d'ouvrages lui permettant d'aller plus loin.

Chef Seattle, *Le Pouvoir des ombres* (discours de 1855), Nitanissan 1988.

T. C. McLuhan, *Pieds nus sur la terre sacrée* (recueil de textes), Denoël 1971.

(Ces deux ouvrages sont essentiels pour la connaissance des textes fondamentaux.)

Tahca Ushte et Richard Erdoes, *De mémoire indienne*, Plon «Terre humaine» 1977.

John G. Neihardt, *Elan Noir parle*, Le Mail 1987.

Oura Debout, *Souvenirs d'un chef sioux*, Payot 1980.

Don C. Talayesva, *Soleil hopi*, Plon «Terre humaine» 1982.

S. M. Barret, *Mémoires de Géronimo*, Maspero 1977.

The Portable North American Indian Reader, Penguin Books 1974.

W. C. Vanderwerth, *Indian Oratory*, University of Oklahoma Press 1971.

Histoire : Indiens et génocide

Philippe Jacquin, *Histoire des Indiens d'Amérique du Nord*, Payot 1976.

Philippe Jacquin, *La Terre des Peaux-Rouges*, Découvertes Gallimard 1987.

Dee Brown, *Enterre mon cœur*, Stock 1992.

Helen H. Jackson, *Un siècle de déshonneur*, UGE 1972.

Revue «Autrement», *Terre indienne*, Le Seuil, mai 1991.

Utley et Washburn, *Guerres indiennes*, Albin Michel 1992.

Spiritualité

Serge Bramly, *Terre sacrée : l'univers sacré des Indiens d'Amérique du Nord*, Albin Michel 1992.

Anna Lee Walters, *L'Esprit des Indiens*, Casterman 1990.

Pour les plus jeunes

Forrest Carter, *Petit Arbre*, Stock 1984.

Michel Piquemal, *Samani, l'Indien solitaire*, La Farandole 1987.

William Camus, *Peaux-Rouges, une marche pour la liberté*, La Farandole.

Jean-Louis Rieupeyrout, *L'Oiseau tonnerre : l'Ouest vrai*, Gallimard 1972.

Derib, *Celui qui est né deux fois* (bande dessinée en trois volumes), Le Lombard 1983-1985.

Peaux-Rouges et septième art

Témoin du regain d'intérêt pour le monde des Indiens, le cinéma a aujourd'hui dépassé le cadre étroit du western pour offrir une approche plus juste de ce que fut leur hallucinant « chemin de larmes ».

Quelques titres de classiques à voir et à revoir :

Le Massacre de Fort Apache, de John Ford, 1948.

La Flèche brisée, de Delmer Daves, 1950.

Les Cheyennes, de John Ford, 1964.

Un homme nommé Cheval, de Elliot Silverstein, 1969.

Little Big Man, de Arthur Penn, 1972.

Danse avec les loups, de Kevin Costner, 1991.